Kiwi

Carmen de Posadas

Ilustraciones de Antonio Tello

ediciones sm Joaquín Turina 39   28044 Madrid

Primera edición: febrero 1984
Vigésima segunda edición: abril 2001

Dirección editorial: María Jesús Gil Iglesias
Colección dirigida por Marinella Terzi

© Carmen de Posadas Mañé, 1984
© Ediciones SM
    Joaquín Turina, 39 - 28044 Madrid

Comercializa: CESMA, SA - Aguacate, 43 - 28044 Madrid

ISBN: 84-348-1262-2
Depósito legal: M-21469-2001
Preimpresión: Grafilia, SL
Impreso en España/*Printed in Spain*
Huertas IG, SA - Camino Viejo de Getafe, 55 - Fuenlabrada (Madrid)

A Sofía y Gimena

UNA MAÑANA,
muy temprano,
el cartero dejó
en el buzón de la granja
un paquete.
Yo creo que fue por error.
Era grande,
como una gran caja de zapatos.
Y venía de muy lejos.

—¡MIRAD!
¡Nos han traído un regalo!
—dijo el gallo.
Como siempre madrugaba mucho,
fue el primero en verlo.

   Los patos se acercaron.
También los tres cerditos,
y la vaca,
y las gallinas,
y Perro,
que era el guardián de la granja.

—NO alborotéis —ladró—.
No os acerquéis tanto.
¡Puede ser peligroso!

PERO los cerditos
ya habían cogido el paquete
y lo estaban examinando.
El cerdito número uno
pegó la oreja al paquete.
Lo agitó y dijo:
    —¡Es un reloj!
Oigo algo así como
un «Tuc-tuc-tuc».

EL CERDITO número dos
olfateó con sus grandes narices
y dijo:
    —Mmm... ¡es comida!
Huele muy bien.

EL CERDITO número tres
miró con atención la caja.
Sobre todo,
unas letras que llevaba escritas.
Pero como no sabía leer...
pues no pudo decir nada.

11

—APARTAOS, apartaos
—insistía Perro—.
Yo soy el responsable
de la seguridad en la granja.
Ahora mismo voy a tirar al río
este peligroso paquete.

YA estaba a punto de arrojar la caja,
cuando habló Colibrí y dijo:
—Creo que lo mejor será
abrirlo y ver lo que contiene.
Si es algo peligroso,
entonces lo tiramos.

TODOS estuvieron de acuerdo.
Y siguiendo a Perro,
que llevaba en las manos
la misteriosa caja,
el colibrí y el gallo,
los cerditos grises y los patos,
todos se dirigieron
a casa de Mamá Gallina,
para abrir allí el paquete.

MAMÁ Gallina
andaba muy ocupada
preparando el desayuno.
Se extrañó mucho
al ver tanta gente.

—Tengo mucho trabajo
—dijo un poco enfadada—.
Volved más tarde.

Pero al ver la misteriosa caja,
también a ella
le picó la curiosidad.
Y quiso que la abrieran enseguida.

HACIENDO corro,
los animales se arremolinaron
alrededor de Perro.
Muy serio,
empezó éste a deshacer el paquete.

15

—OJALÁ sea una crema
para tener la cresta brillante
—suspiró Gallo,
que era muy presumido.

—A mí me gustaría un tocadiscos
—dijo Colibrí.

—¡Algo de comer!
—chillaron los cerditos.

Y TODOS hablaban
y nadie se ponía de acuerdo.
Cuando, al fin,
consiguieron abrir el paquete,
entonces sí,
todos exclamaron lo mismo:

«¡Oooh!»
Un «¡Ooooh!» muy grande.
    Porque dentro de la caja,
muy bien protegido entre algodones,
había... ¡un huevo!
¡Un extraño huevo blanco
con manchitas pardas!

EL primero en alejarse,
desilusionado, fue Gallo.
Lo siguieron los cerditos.
Los patos se marcharon
sin decir ni pío.
¡Bah!, un vulgar huevo...
    Al final,
Perro y Mamá Gallina
se quedaron solos.
¡Todos habían creído
que el paquete tendría
algo importante!
Pero... ¡un huevo...!
    En las granjas,
como todo el mundo sabe,
un huevo es cosa de nada.

—¿Qué haremos ahora
con este bebé?
—dijo Mamá Gallina—.
¿De quién será?
    —¿No será tuyo, Mamá Gallina?
—le preguntó Perro.
    —¡Desde luego que no!
—contestó ella casi ofendida.

¡Mis huevos son blancos!
¡Hermosos!
¡Sin manchas...!
Perdóname, estoy muy ocupada,
voy a dar el desayuno
a mis polluelos.
    —¿Y quién se ocupará de éste?
—dijo Perro señalando el huevo—.
Necesita una mamá.

MAMÁ Gallina
se había puesto el delantal,
y salía a buscar semillas
y lombrices
para el desayuno.

22

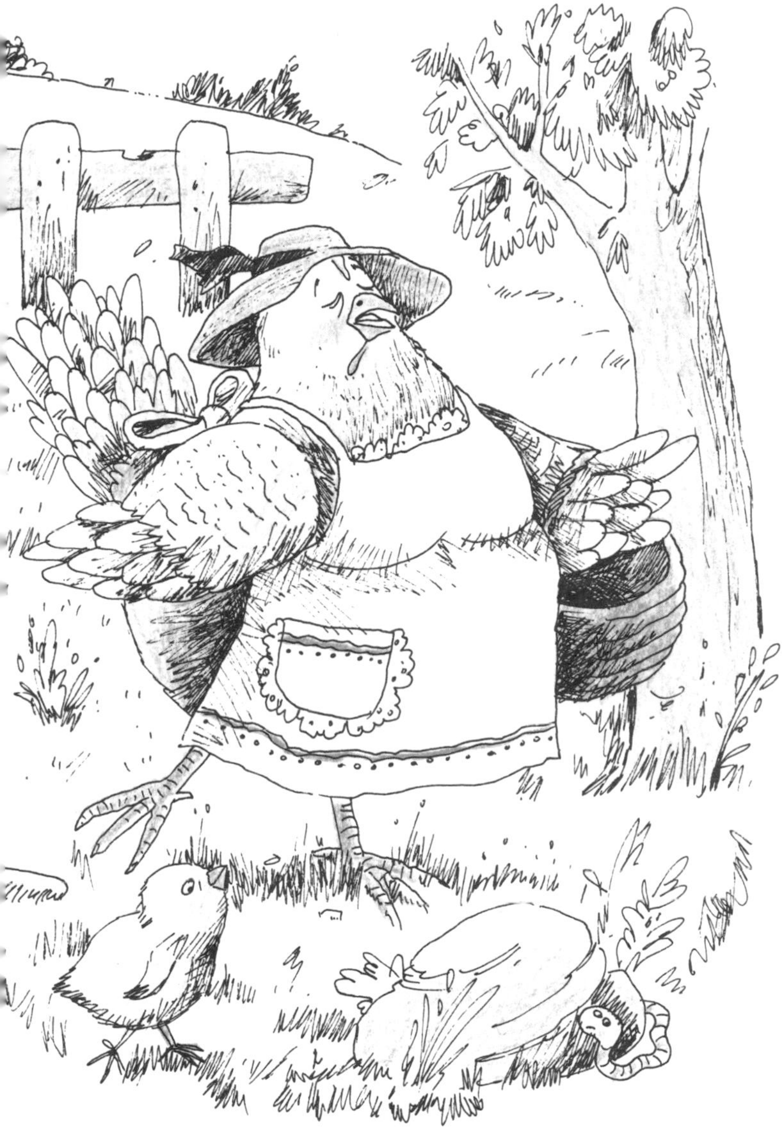

—¡Que se ocupe otra persona!
—gritó.
Yo no podría
educar bien a ese pollo.
¡Tengo que ocuparme de los míos!

PERRO cogió la caja
y se fue a ver a los patos.
Los encontró
chapoteando en el río.
    —¡Eh, Mamá Pata!
—gritó desde el puente—.
¿Puedes venir un momento?

MAMÁ Pata se acercó nadando.
Los patitos la seguían, diciendo:
    —Cuá, cuá, cuá...
    —Éste es el huevo
que venía en el paquete
—dijo Perro—.
¿Podrías cuidarlo tú?

MAMÁ Pata giró en redondo,
dándole la espalda:
—Me gustaría complacerte, Perro,
pero yo ya tengo
demasiados patitos que cuidar.
Y removiendo la cola,
Mamá Pata y sus hijos
desaparecieron río abajo:
—Cuá, cuá, cuá...

PERRO miró el huevo blanco
con pintitas pardas
y pensó que, tal vez,
necesitase un poco de calor.
Así que cogió
una brazada de paja
y la metió en la caja.
Y la tapó con cuidado,
para no hacerle daño.

26

Después, llevando la caja con mimo,
fue a buscar a los cerditos grises.
   Los cerditos estaban
en su chiquero,
comiendo.
Como siempre.
De vez en cuando dejaban de comer,
para revolcarse en el fango,
tan fresquito,
tan húmedo.
Llegó Perro y se asomó a la puerta:

—¡EH, cerditos! —gritó—.
Éste es el huevo
que venía en el paquete.

¿Querríais ocuparos de él?

Pero tampoco los cerditos
quisieron:

—Hombre... sí que nos gustaría.
Ahora, mientras es huevo,
no es ningún problema.
Pero luego, cuando nazca,
necesitará mucha comida
y tendríamos que trabajar mucho
para buscarla.
No, no podemos encargarnos de él.

PERRO volvió a coger la caja
y se fue a ver al señor Gallo.

Pero ni pudo hablar con él.
¡Estaba demasiado ocupado
en peinarse las plumas
y cantarle a las gallinitas!
Así que Perro dirigió sus pasos
hacia la casa de Colibrí,
que vivía en un manzano.

—¡HOLA, Colibrí!
—gritó Perro desde abajo—.
¿Estás en casa?
Al cabo de un rato, apareció Colibrí.
Estaba todo mojado.
Acababa de tomar un baño
y tenía las plumas alborotadas.
Mientras hablaba con Perro,
iba peinándoselas
con su largo y curvado pico.

—ÉSTE es el huevo
que venía en el paquete.
Es muy pequeño y tiene frío.
¿Podrías cuidarlo
y darle calor para que nazca?

Colibrí se afilaba el pico
en una rama.

—Sí que me gustaría —dijo—.
Pero a mí me encanta
eso de volar libremente
por los aires,
ir siempre de flor en flor.

Si tuviera un pichón
tendría que ocuparme de él.
No podría disfrutar de la vida.
Y eso sería un rollazo.
No, no me puedo quedar
con el huevo.

PERRO se iba triste,
por no haber podido convencerlo.
    De pronto, Colibrí abrió sus alas.
Bajó volando hasta Perro
y se le posó en el hombro.
Hablándole al oído,
le dijo suavemente:

—NO hace falta
que nadie cuide de él...
¿Recuerdas
lo que esta mañana
quisiste hacer con el paquete?
    —Estuve a punto de tirarlo al río.

Pero es que entonces
no sabía que contenía un huevo
—dijo Perro con horror.
    —¡Bah! ¿Qué es un huevo?
—continuó Colibrí—.
¡Un huevo no es nada!
No es un pato,
ni un pollo, ni un colibrí.
Es sólo un huevo,
sólo eso, nada más.

PERO Perro meneó la cabeza.
—Un huevo
será, un día,
un pájaro como tú
—dijo—.
Igual que tú.
En fin... ya que nadie lo quiere,
yo me haré cargo de él.

DURANTE semanas,
Perro estuvo cuidando y empollando
aquel huevo blanco
con manchas pardas.
Para ello
preparó dentro de su caseta
una especie de nido calentito
con paja y plumas.

¡CÓMO se reían
el colibrí, los patos,
los cerditos grises y las gallinas
al verlo allí,
echado sobre el huevo día y noche,
para darle su calor!

35

Y ASÍ pasó el tiempo.
Hasta que una mañana,
cuando Perro acababa
de arreglar el nido,
oyó un ruido extraño.
¡Algo se movía dentro del huevo!
¡Algo temblaba allí!

PERRO se puso muy nervioso.
Ladró dos veces
y no conseguía
apartar del huevo
sus grandes ojos color café con leche.
Poco a poco
la cáscara fue rompiéndose.
Asomó primero un largo pico
fino y curvado.
Al rato, dos patitas como de pollo.
Pero tan débiles,
que Perro creyó se quebrarían
en cualquier momento.

Por fin,
después de mucho luchar
con el cascarón,
apareció un cuerpecito gris,
un extraño animal.

—¡QUÉ animal tan rarísimo!
—se dijo Perro.
Y fue corriendo
a buscar a sus amigos.

LLEGÓ Mamá Gallina y dijo:
    —Nunca he visto nada tan feo.
Parece un pollo-pato mojado,
si es que existe tal cosa.
Pero, mirad,
las patas son iguales que las mías.
¡Tiene patas de gallina!
    —Mirad el pico
—murmuró Colibrí, extrañado—.
¡Es un pico de colibrí!

LOS cerditos
también miraban
muy extrañados.
No querían decirlo,
pero aquel cuerpecito gris,
cubierto de gruesas cerdas,
se parecía al suyo propio.
   —¡Qué pena tener un hijo
que tiene un poco de cada animal!
—dijo alguien.
Y todos corearon:
   —¡Oh, qué pena
tener un hijo tan requetefeo!
   —¿Pero qué bicho es éste?
—preguntó Gallo.
   —¿Qué será? —decían todos.
   —¿Qué será?

COMO ocurre siempre
con las noticias raras,
pronto se supo en la granja
el nacimiento
de aquel extraño animal.

Los pollos
se lo contaron a los patos,
que enseguida
lo comentaron con los gansos,
que lo comunicaron al caballo,
que se lo dijo al gallo,
que se fue
a lo más alto del campanario
y allí lo voceó
a los cuatro vientos,
para que lo supieran
en las granjas de alrededor.

MIENTRAS,
Perro cuidaba de su bebé.
Y le traía cosas diferentes,
para averiguar lo que comería
aquel bicho raro.

A veces le traía
jugosas lombrices,
como las que tanto gustan
a los pollitos.
Otras veces moscas,
como prefieren los patos.
Pero nada de eso
le gustaba a su hijo.
Por lo que estaba muy preocupado.
    Fue sólo al quinto día
cuando descubrió
que su plato preferido
eran las hormigas.

PASÓ un día y otro,
y el bebé fue creciendo.
También crecía su fama.
De las granjas vecinas
venían para conocerlo.
   Un día,
cuando ya apuntaba la primavera,
llegó a la granja
una bandada de golondrinas.

Venían de lejanas tierras.
Eran grandes viajeras
y conocían casi todo el mundo.
   Habían oído hablar
de aquel extraño animal
y querían conocerlo.

43

—¿Es éste?
—preguntó una golondrina,
aterrizando junto a Perro.
    —Éste es —intervino Gallo—.
¿Has visto alguna vez
un animal tan feo?
    —En nuestros viajes
hemos visto muchos seres raros
—dijeron las golondrinas—.
Pero nunca vimos
nada parecido a esto.

ENTONCES,
Golondrina Vieja
se abrió paso
entre todos.

44

Despacito, revoloteó
alrededor del raro animal.
Miró sus patas de gallina,
su pico curvado...
Y, de pronto, exclamó:
    —¡Por el pico
de mi abuela María Luisa!
¡Pero si es un kiwi!
    —¿Un kiwi?
—gritaron todos a coro—.
¿Un kiwi?
    —Sí —continuó la golondrina—.
En un país lejano,
muy al sur,
viven unos raros animales.

Unos tienen cara de pato
y cuerpo de mamífero.
Otros saltan sobre dos patas
y llevan sus crías
en una bolsa.
Y otros son iguales
a nuestro amigo.
¡Sí, esto es un kiwi!

HUBO un gran revuelo.
¡Era un hecho extraordinario!
¿Cómo habría llegado
el kiwi hasta su granja?

—¡Esperad que la gente
conozca la historia!
—dijo Golondrina Vieja—.
¡Este polluelo
será famoso en el mundo entero!

Las golondrinas alzaron el vuelo
sin perder tiempo.
¡Había que volar lejos,
contárselo a mucha gente!
—¡Pronto, pronto!
—revolotearon—.
¡Qué historia más emocionante!

AQUELLA misma noche,
cuando Perro fregaba
los platos de la cena,
alguien llamó
a la puerta de la caseta.
Perro se sorprendió mucho.
Nunca recibía visitas tan tarde.

—SOY YO —dijo una voz—.
Tengo que hablar contigo.
    Abrió Perro,
y Mamá Gallina
entró muy nerviosa.
    —He estado pensándolo mucho
—dijo ella—.

Tú eres un perro viejo y cansado...
Para ti será muy duro
cuidar del polluelo.
Creo que será mejor
que Kiwi sea desde ahora mi hijo.
Yo me ocuparé de él.
Le enseñaré
todo lo que un pollo debe saber.
Además,
como tiene patas de pollo...
es, casi, mi pariente.
Me lo llevaré ahora mismo.

KIWI la miró asustado
y fue a esconderse detrás de Perro.

—No, no —dijo Perro—.
¿Quién se hizo cargo de Kiwi
cuando sólo era un huevo
que nadie quería?
¿Quién lo empolló
y le dio calor?
¿Quién le enseñó
a andar y a comer?
   —Tú —reconoció Mamá Gallina—.
Pero ya sólo eres
un perro viejo.
Nunca podrás educarlo
como yo lo haría.
   —Yo soy el padre de Kiwi,
porque lo quise
desde antes de nacer
—dijo Perro con firmeza.

MAMÁ Gallina salió furiosa.
Tanto, que casi se chocó
contra Colibrí,
que llegaba en aquel momento.

—ABRE, Perro,
tengo que hablar contigo.
   La puerta se abrió
y Perro asomó sólo las orejas.
   —He estado pensándolo mucho
—empezó Colibrí—.
Tú eres un perro viejo y cansado...
Para ti será muy duro
cuidar del polluelo.
Apenas tendrás tiempo
para cuidar de la granja.

53

Yo, en cambio,
sí puedo ocuparme de Kiwi.
Le enseñaré a volar
y a distinguir las flores más sabrosas.
Además,
como tiene pico de colibrí...
es, casi, mi pariente.
Me lo llevaré ahora mismo.

—NO, no —dijo Perro—.
¿No me dijiste
que no podías ocuparte del huevo
porque te quitaría libertad?
¿No me aconsejaste
tirarlo al río
para no tener problemas?
¡Yo soy el padre de Kiwi,
porque lo quise
desde antes de nacer!

SALIÓ Colibrí avergonzado
y llegaron los cerditos grises.
—Venimos
a llevarnos a nuestro hijito
—dijeron a coro—.
Tú eres un perro viejo y cansado.
Te costaría muchísimo
encontrar todos los días
comida para Kiwi.

Nosotros, en cambio, podemos darle
un poco de la nuestra.
Además, como tiene la piel
gris y áspera como nosotros...
es, casi, pariente nuestro.
Nos lo llevaremos ahora mismo.

   —Ahora que es importante,
parece que todos
quieren hacerse cargo de Kiwi
—dijo Perro—.

Incluso vosotros,
comilones.
Pero os diré
lo mismo que a los otros:
¡Yo soy el padre de Kiwi!

PERRO cerró de un portazo
y miró al reloj.
Aún tenía mucho que hacer
antes de irse a la cama.
Porque un bebé chiquitín
da mucho, mucho trabajo.
Así que se puso el delantal,
fregó los platos,
tendió los pañales de Kiwi,

barrió, planchó,
ordenó todo muy bien.

KIWI, mientras tanto,
dormía como un tronco.
Perro se acercó
y lo miró acurrucado en la paja.
¡Era tan pequeño y tan feúcho...!

—Un día serás famoso
e importante
—murmuró muy bajito,
para no despertarlo—.
Pero, aunque no sea así,
aunque sólo llegues a ser
un pajarito feúcho y torpón,
papá Perro te querrá
siempre igual.
Y ahora, duerme tranquilo,
pequeño Kiwi.

Y le dio un beso
en el pico largo y curvado.
—Yo, enseguida termino
de trabajar.

EL BARCO DE VAPOR

SERIE BLANCA (primeros lectores)